劉福春・李怡 主編

民國文學珍稀文獻集成

第二輯

新詩舊集影印叢編　第80冊

【李金髮卷】

為幸福而歌（上）

上海：商務印書館 1926 年 11 月初版

李金髮　著

花木蘭文化事業有限公司

國家圖書館出版品預行編目資料

為幸福而歌（上）／李金髮　著 — 初版 — 新北市：花木蘭文化事業
有限公司，2017〔民106〕
168 面；19×26 公分
（民國文學珍稀文獻集成・第二輯・新詩舊集影印叢編　第80冊）
ISBN 978-986-485-151-5（套書精裝）

831.8　　　　　　　　　　　　　　　　106013764

ISBN-978-986-485-151-5

9 789864 851515

民國文學珍稀文獻集成・第二輯・新詩舊集影印叢編（51-85 冊）
第 80 冊

為幸福而歌（上）

著　　者　李金髮
主　　編　劉福春、李怡
企　　劃　首都師範大學中國詩歌研究中心
　　　　　北京師範大學民國歷史文化與文學研究中心
　　　　　（臺灣）政治大學民國歷史文化與文學研究中心
總 編 輯　杜潔祥
副總編輯　楊嘉樂
編　　輯　許郁翎、王筑　美術編輯　陳逸婷
出　　版　花木蘭文化事業有限公司
社　　長　高小娟
聯絡地址　235 新北市中和區中安街七二號十三樓
　　　　　電話：02-2923-1455／傳眞：02-2923-1452
網　　址　http://www.huamulan.tw 信箱 hml810518@gmail.com
印　　刷　普羅文化出版廣告事業
初　　版　2017 年 9 月
定　　價　第二輯 51-85 冊（精裝）新台幣 88,000 元

為幸福而歌（上）

李金髮 著

商務印書館（上海）一九二六年十一月初版。原書三十二開。

文學研究會叢書

爲幸福而歌

為幸福而歌

李金髮 著

文學研究會叢書

1926

■本書著者的其他作品■

雕刻家米西盎則羅

意大利及其藝術（卽出）

　　　　商務印書館出版

微雨（詩集）

荒年的食客（詩集）（即出）

　　　　北新書局出版

范倫納的詩選（譯詩）

古希臘戀歌（譯詩）

　　　　將由開明書局出版

弁　言

從前在柏林時曾將詩稿集成兩冊，交給周作人先生處去出版，因爲印刷的躭攔，至今旣兩年尙沒有印好，故所有詩興都因之打銷！後除作本集稿子外，簡直一年來沒動筆作詩，眞是心靈的一個大刧。

這集多半是情詩，及個人牢騷之言情詩的「卿卿我我」或有許多閱者看得不耐煩，但這種公開的談心，或能補救中國人兩性間的冷淡；至於個人的牢騷，諒閱者必許我以權利的。

金髮誌於上海

一九二五年十月

目　次

viii

目　次

為幸福而歌

x

目　　　次

xi

為幸福而歌

xii

目　　次

xiii

為幸福而歌

"Wisst ihr warum der Sarg wohl
So gross und schwer mag sein?
Ich legt 'auch meine Liebe
Und meinen schmerz hinein"

H. Heine.

初 心

(à gerta)

旋風欲促我心隨獸商遠去,

但我眷戀你暗室的舞蹈之裳,

隨機而遺情之歌唱.

呵,我手足期望與你攀援.

縱夜氣如何蕭索,

全可以黑夜遮斷四圍之凶險,

提足地去飲忠實之泉的餘滴.

靛紫之草叢裏,

不相識之坂排着溪流,

就在此地找尋我們之同情,

為幸福而歌

遠地之潮聲的洶湧，

發出深黑之預兆在殘冬之底，

你回頭罷，我追蹤者近了！

生命是深夜之風的微噓，

昏醉之船的微盪，

隨岸到泉之源張耳分析音調？

年月所不許的事！

女神之翼，

拂我之毛髮使散亂，

如旌旗飛舞，

但敞月之心的銅駝，

惟你能摩挲而興嘆了。

老舊的 drames，

值得我們重演！

若怕靈魂現崩敗之跡，

2

初 心

只有這末次的犧牲了，

我願一天指示你

以隨波上下的金魚，

(有時爲浮沫掩蔽了太半，

海潮在清絕處咿哦，

如不慣生疎之新婦！

眞的，我太痛哭了，

黎明旣張憐憫之眼，

嘆這詩人之末路，

惟明月太嬌羞地申說那命運。

你，有銀白之手足的人，

僅眼兒之溜，

便足結束這一劇！

3

為幸福而歌

欸　步 Promenade

"Ich kann's nicht fassen nicht glauben."

Schumann.

松陰遮斷天光，

正我們私語之際!

不覺生命有點諧和麼?

如不挾你忠告之微笑。

我們不能有所寄托

在這淺紫輕紅裏，

因我們歲月的狂奔，

全以他們為 Complice.

我問你一個性格的評判，

4

款步 Promenade

你竟擇歪醜之字句來形容，
不消一度瞑目的思索，
我就爲曲膝之 Condamné 了。

紫蘿在前裾乾枯着，
但仍芬香來安慰我們，
若以其此爲情愛之 Symbole，
我們就無須沈思而短氣。

我如一切遊人之情緒，
對着風光長嘆，
你初識鳥聲蘆葦的人，
無使大自然之金矢射着心。

衣帽上淡黃的，
是我們之征塵麼？

5

為幸福而歌

正遼遠的是前路，

何處去覓翼鞋.

6

心　期

當我走過你的故居,我願聽你的歌唱,但
無心擾你深睡.

腳兒太弱小,我無能穿你翼鞋而遠走,縱
遇荒漠與曲徑,無讓我導路在前頭.

我問你生命的象徵,你答我以火燄,潛力
與真理!

牆後的天涯,有天使候我們上道,寧向老
舊的 Salut, 正候黎明之氣沁點襟懷.

我努力避去塵埃,污損你繡裳,若是他們
帶了羊羣來,我們惟有--齊歌唱.

她們欲以赭色之服飾你四體,你終得到
神經的衰敗.我若能一天趨進你心窩裏,
將得到永遠的裁判.

7

為幸福而歌

我將有一日求天使與我生命攜手,若其
霧車之輪的鬧聲震了耳鼓,那毓儒之草
地花卉,得了生長根據地了。

遠地的松花之香,在天際搖蕩,我心兒如
狂風般哮咆去想望,若你給我一心魚之
微波,面色將由蒼白而紅潤呵。
在敝廢的工作之末日,得到遊蜂忘却之
餘蜜,舌兒甘了,正待掛帆歸去.
若他敲了你門兒,當先從欄柵邊呼喚:我
較愛沈實的日光.
吁我開着胸懷,伸手向你,并不是心兒太
單調,因每個黃昏之候的舞蹈,缺少你鐘
鼓之音.
希望我們如野人之狂暴,高呼 victory 在
休憩裏。吁,你不覺生命有點諧和麼?

8

心_____期

待我得到樂園時,我神奇之手,將攀折沿
岸之菓屬,咿哦地歌唱,或狂呼無情的過
去,因他們曾撕破吾心的一片,幾到脈兒
停跳,於是我驀地碰見你.

或者你有心投錨作若干的勾留,———捨
棄一切宿怨,僅使幸福來盤踞,但我們所
退據的潛力,火燄與真理,恐亦隨時代而
崩敗.

你說:遲點,我睡在你臂裏.我以是鎮靜地
去期望,但恐一天臂兒太冷,你得到可怕
之傷寒!那時候我將說:命運於我終久是
馴伏的.

無獨自一人洗浴到沙頭去,蒼波將媒忌
你的臂膀,荇藻的腐敗之葉子,將膠住髮
兒不下看,僅挾我的掌兒你勝於泛舟遠
走.

9

爲幸福而歌

白雲與海是我們終古的朋友,我自幼小
的時候,便喜與他遊戲, "雲上上雨靐靐
雲下下晒死馬" 咧, 這等重複的章句,當
年多麼趣味,如今只愛你 phantasie 之舞
蹈.

10

燕羽翦斷春愁

燕羽翦斷春愁

燕羽翦斷春愁,

還帶點半開之生命的花蕊,

惟期晨興的微珠,

構成這沈寂之芳香.

你不聽鐘兒敲着麼?

上帝正眼睜這等嘈切之音,

我們無處躲此罪惡,

但願一飲溪澗之餘滴,

靈魂就得死所了.

燕翼翦斷春愁,

聯袂到原野去,

臨風的小草戰抖着,

11

為幸福而歌

　　山茶,野菊和罌粟,

　　有意芬香我們之靜寂.

　　我用撫慰,你用微笑,

　　去找尋命運之行蹤,

　　或狂笑這世紀之運行。

12

Elan

自我心兒不死,遂有這

風光,追求,薔薇口的微笑,

我尤愛半黑之眉的顰皺,

命運之使臣從眼角裏逃遁.

譚到我們的財富,

惟有脣邊之口沫是眞實.

恨無力將詩筆來渲染,

寫成卷帙爲癡兒女之訓誥.

我從你淡白之膚色裏尋趣味,

如神往入暮之殘陽的餘艷,

每經深夜之思索,

13

為幸福而歌

逐欲瀝血濟生命之泉的枯涸.

本能上可傳佈之 élan,
欲在你心窩尋求同情之種子,
僅須在夜的初期回想,
我們便得到天國祈禱之資料.

14

絮　語

Quelle omble flottant dans ton âme?

Etait ce long regret ou noir préssutiment,

Ou jeune souvenirs dans le passé dorment,

Ou vague faiblesse de femme.

Hugo.

如 amour 是罪過，

我的心當爲從犯了，

縱夜氣疲了四肢，

我不辭說一百句“吾愛”．

我不能呼喚我所擔愁的人，

僅能在心曲裏得些叛亂；

若以饒舌之口來歌唱，

15

為幸福而歌

音調裏必帶點迷妄之因.

無理由去嗤笑,
更無理由去痛哭,
因性命帶了衰病而來,
黎明催促殘更遠去.

我唇兒與你遠隔,
更何有 serments 可言,
若相思的眼淚,能滴成池沼,
我們便得終身游泳之所了.

昨日是"懊悔",
明日是"希求",
我們多愛幸福前來,
但哀慼要求作伴.

16

絮　　　語

我欲深睡去撫慰生命，
但心之火燄眩余兩眼，
伸你手導我前路，
此地既非樂土．

在歧路之前方，
我彷彿與你相遇，
但每個新春與深夏裏，
都佇看你足音之筑寂．

在你心頭的休憩，
是我所期望之天國，
愛所不能愛之人，
勝於夢想遠地的公主．

但總攏一句說，

17

為幸福而歌

我們之情愛是大地與長天，
僅有歸帆的光影，
便認識我們天涯之來路.

不須一欠呵與微笑之嫵媚，
即遲疑之字句,任你脣頭，
既引動了我若干眼淚之跡，
更何須別的風雲,
我偶向你說:
我所愛的別一個，
盤踞在我心頭着，
呵,別一個,即是你,(往昔的你)

我留勾在這斷片世界裏，
欲找尋同作夢魂之同志，
若能迴誦我的詩句，

18

寄語

更不難叩金鑰之門.

當你來時我願給你微笑,

使我們分擔這命運之重負,

然後你伸長左右手,

我從之解去生命之糾纏.

你前額嚴重的微皺,

給我多少回想,

你心窩如遠寺般沈寂,

但眼裏有晨星的光耀.

且在此少住,

我正有靈魂解釋的必要,

且立刻死去,若仍不能懂,

但誰來供養你墳墓的花球.

19

爲幸福而歌

詩　神

七月間成詩神像一具自喜酷似 Venus de Milo 供之案頭猶敎徒頸際之有十字架也

不待扶筆疾寫,

詩神旣有心使眼兒流淚:

追隨這光榮之尾閭,

忘却深秋帶殘葉與細雨齊來.

上帝之賞賜誰說眞實?

惟蘆葦能給人多少蕭瑟之哀思!

雖然,這確是傷感.

當人夢想援手而不能得.

至此算疲乏極了,

20

詩　　　神

我發現半開之玫瑰已復萎靡,

指頭無力去掬東園草,

因鮮血熱烈地滾流着.

吁,可愛之詩神,

你欲在我老舊心田裏,

播殘麥之粒,香花之種,

待金風隨氣候掠過時,

好給居民一柔和之氣息麼.

看一沈思之兄弟,

新秋正遠遊歸來,挾點故園殘敗之花片.

還欲倩斜陽紅染余的心,

我們去嘗這不幸,

或能找到多少內心的回聲.

21

獣而顧幸鳥

吾　生　愛

吾生愛 Caresse 戰爭之開始,呵,黃金之 minute, 如老婦夢想天國之狂喜.更願清風吹散輕沙,諧和我們之氣息,喪沮地說:生命就是如此麽?

吾生愛慟哭之朦朧,頰兒流淚,欲捏死敵人之心在掌心裏,終於豪氣銷融,空怨此生魯莽,於是我愛憎明晰,許身再入泥塗.

吾生愛月夜孤舟,槳邊的浪兒起着沫,彷彿地現點已往之形跡,能示人以來路麽?——星兒懶佯地睨視一二次,無

22

吾　生　覺

心同此 banal 之頑笑,我欲從暗處躲此

羞怯,奈晨光已山山後來了。

23

為幸福而歌

謳 歌

每當靜寂的時候,我便欲抱頭慟哭,或低
吟.但我忘却了美麗的歌兒,慟哭又覺羞
怯,

　　　領羊的好人兒,
　　　切勿無禮於我,
　　　引我到山頭去,
　　　露珠全濕我鞋襪.

新秋之林,帶來心的顏色與地獄之火候,
使我欲安頓在蒼苔陰處之魂,又破格落
之聲驚散,——阿決鬥者之劍聲.

我願無休止地在人間羨慕,眷戀追求,但

24

騙　　歌

我何以創造這虛無之夢!

　領羊的好人兒,

　切勿無禮於我,

　引我到山頭去,

　露珠全濕我裙裾.

25

爲幸福而歌

Tristesse

"Je me souviens des jours anciens et je pleure".

P. Verlaine.

風光終久對人詔笑,

但我心有情緒變遷之痕迹:

在荒蕪的故園之門下,

野花勉強地抽一新芽.

大自然無須我們作伴,

惟我們欲設法銷散這寂寥,

你搖指遠山的紫黛說:

Oh, quel désir ainsi, troublant le fond des âmes.

風使松柏狂嘯,

更把餘威去

26

Tristesse

低 眼 小 草,

　沈 寶 之 日 光,

　或 有 意 使 我 新 愁 發 亮,

　但 我 仍 是 散 着 步.

更 遠 的 長 林,

罩 着 一 片 紫 黛,

淺 淡 的 新 黃,

看 去 多 麽 薄 弱 似 的,

每 欲 到 松 梢 狂 嘯

之 陰 處 小 憩,

但 我 仍 是 散 着 步.

有 意 使 我 新 愁 發 的 日 光,

僅 能 温 暖 余 四 體,

但 心 的 哭 泣

27

為幸福而歌

益顯嚎洶之音.

時間的傷損之跡,

惟他們能補救,

但我們終久散着步,

流行的情風,

散亂我結髮之球,

何不索性挾我遠去,

遍看淺紫深藍的高原:

我將認識多少

癡兒女傷心之故國,

墨客同情處之碑坊,

但鶺鴒之一叫,

遂引我靈兒飛跑了.

每欲努力馭這衰病,

但我終久散着等步!

28

美　人

珠兒掛着頸，

僅頭兒一側，髮途散亂了，

嗤嗤的笑，

格格的嗽，

手兒搖空，

脚兒着地，

平庸的旋轉之舞蹈，

擾亂心曲之忐忑；

但眼光益形照耀，

倦了，

傍着倒下去，

倩有力的手去扶持，

就從此愛憐足矣！

29

爲幸福而歌

終於眉兒低着,

沈思,煩惱,希求地說:

Je desire ………

取我一切去,

但非時間所詐.

阿 小小的可憎兒.

高原夜語

"Lass dich, Geliebte, nicht reu'n

dass du Mir so schnell dich

ergeben"......Goethe.

當一切煩囂稍靜寂之候，

我們面色益形蒼白，

(但口裏還挾着笑)，

心的擺度益形倉亂，

怕夜色張皇

空間變成孤伶。

停了，心的琴，

話兒也少了，

惟殘照之餘光，

31

為幸福而歌

徘徊在你指環上，
他給你什麼忠告，
我得你若干愛憐？

可怖的夜之陰險
益覺真實而沈重，
我們須得逃遁麼？
但願守候到晨光齊來，
如同看你眉誓之變遷，
亦不消心靈去解釋。

海風嘶嘯着，
欲求我們心靈之軍
去防禦時間的電掣，
迨我們談笑一二陣，
遂忘了這慘淡的要求，

32

高 原 夜 語

是以任其週而復始.

否!我們多愛淡紫之黑影,

徐徐地遷動而陰險,

如兩心不可思議之祕密.

若有月兒牛升,

村莊頓成銀白之簑,

更何須睡眠去恢復倦態.

我多慣摩挲你尖銳之指頭,——

創造世界之利器,——

Caresse 裏同時操了運命之機樞,

願從此攫取這可憐之心去

早晚裏觀察其斷續之氣息,

或能尋得殘暴與忠實之裁判.

33

爲幸福而歌

欲在你半闔之眼裏，

伸說我們之僥倖，

但你僅用半闔之睨視，

我遂明白 'plus tard."

縱靈兒插翼，

只能在稀弱之橋上徘徊.

不慣緊抱的臂裏，

我已傳到你肌膚之餘暖，

不可信之吻的芳香與忠告，

正銷融心頭之宿怨；

況錯裾之摺的迷離，

給微風多少關關之輝.

你指點遠處的流螢，

用星光比我們之生命，

34

高 原 夜 語

但雲兒向不認識之空處飛跑，
如我們青春之無定的飄蕩．
更有松兒在山後狂笑，
正倩黑夜去戰抖我們細小之心．

在這海浪似的淺草裏，
有多少蜥蜴與蚯蚓盤踞在．
正如人在城圈裏葡萄，
但他們能隨季候去歌哭，
不像我們空為時間誘惑了，
張手向 Jeunesse 狂奔．

儘有這遠樹平原高坵之瀑布，
若不與你同賞玩，
他們於我是枯死的；
誠因以靈之愛給了他們，

35

為幸福而歌

便一溜煙銷散以去，
即微晰的之蟲聲亦不再到耳際！

年日之軍飛跑着，
願意地帶我們之 avenir 前來，
縱光曜如晨曦，頹黑如陰雨，
我們都怕與他相見，
因"明年今日"之不足信，
如同你多淚之眼的可疑。

星光漸漸稀少了，
或朦朧如新婦之面幕，
四圍夜氣之冰冷，
欲肅殺萬物鼾睡之聲息，
惟汨汨的流泉低唱着，
頤我們循何徐步。

36

高 原 夜 語

我們無佔價的生命之泉，

亦如他們無休止地在夜裏工作，

值到一個山谷之墟處，

便留戀着花草之華，

但年日之軍飛跑着，

願意地帶我們之 avenir 前來。

陰靈在遠處嬉笑，

似欲渡空谷前來，

你無意撫慰我戰慄之心。

但沈思着如孀婦，

以是我們比肩傍着，

一切空間的顫音全憑我們心之

　節奏。

37

為幸福而歌

我的心厭倦了一切榮譽，

賞賜，追求，羨慕，與虛僞，

惟願你冰冷之手，

在我掌心裏片刻變成溫暖；

炎夏裏向海潮洗刷哀怨，

金秋裏愛柳梢之鳴蟬．

但我每感到生命如此孤獨而短促，

便欲求你一個說明：

長林的 nymphes 何時休歇跳躍，

骯髒之地殼畢竟化作天堂，

萬頭躦動之人們，

終不擾亂我們情愛之溫睡！

可以已矣！縱我的詩筆，

無力使你靈兒發亮，

38

高 原 夜 語

但你每以"大""小"來做我的形容，

遂覺完了一切描寫之工.

況我們談話時，

口裏還挾點笑!

39

為幸福而歌

松　下

日光帶影前來,
摩拏騷人的短髮
騷人是我,
心頭的是神之血.

華其渙矣.
奈被時間指揮着,
躑兮躅兮,
誰眷戀此長別!

小草無意低眠,
行雲隨與排列,
回首沈思:
安得長與松風蕭瑟.

10

紅　鞋　人
在 Café 所見

雜沓的嬉笑裏，

聲音頓靜寂了一陣；

人造的燈光，

閃爍了二次，

終顯出眩眼之瑩煞，

萬頭引頸，

收疊了幾分氣息，

於是徐徐地,牆角裏

紅鞋的人躡足來了，

深黑的花冠，

瑯璫的環佩，

多色的胸襟，

41

爲幸福而歌

如雨後新虹之工整；

稀薄的輕紗，

朦朧地似無力裹住乳兒，

幾欲狂跳出輕紗以外；

頭兒微側，手在腰間駐繫；

用脚尖作拍，以是狂跳了，

從東角跑到西隅，

有時曲着背，張着兩手，

一半嗤笑向人，如野人之駭愕，

但從不忘記脚的節奏．

俄頃樂人呼的一聲，

舞的形勢，亦頓變了，

tambourin 亦開始拍了，

吁，幾裂耳膜之音，

四座的人盆形擗心，

覺得千金一刻來了，

42

紅　鞋　人

紅鞋人不過轉着,轉着,

終久旋轉着, tambourin 拍得更形厲害,

勞作之熱欲,

使伊心房跳盪;

眼裏滿裝欲焚之火欲,

（多麼好看之技

將如何去收場）!

但伊像忿怒的神氣,

脚兒微帶點停的意思,

拍的一聲,倒了去了!

僵臥着,如悲劇之殉教者,

手兒無力,

向地板上懶洋洋地攤着,

藍黛之光,頓成黑晤,

像給人多少詩意和死之回想似的.

43

為幸福而歌

吟 與

呼呼地，

遠市的鬧聲，

拍拍地，

心的抨扒。

左右躑躅，

欲量房子

的長麼?

眼兒向空一望

沒什麼好看!

閉着罷!

太黑暗呢.

按住方椅坐着，

44

吟

側側頭寫呵,

奈眼淚全淚了紙幅.

45

為幸福而歌

叮嚀

如你的聲音像黃鸝般囀，

必定春來高了半音符；

但眼睛的流鼉，

豈因晨星反照之光？

一切疑惑憂鬱，

早為 Jeunesse 所拋棄，

林中看海潮向我們疾笑，

浮沫在腳下徘徊，

這豈容時光──瞥以去麼？

常夢見你停錨在夜色之海裏，

我的蓬華遂隨落日而光輝，

我們攜帶心頭多年之祕密而來，

叮　　嚀

正預備作最後一次的了解.

因夢幻太形短促,

白髮之端有無限催人的意思.

吁!緊抱我一點:

將氣息錯亂血兒疾瘋,

使我感到幸福之始末.

如我的夢魂有時奔走到

少年歡愛記憶之場,

是因你"寬宥"之無效.

聽,我們歲月之行程,

正從此時開始,

且拭未乾之眼淚,

捨去心頭之 mystère,

調合我們獸性之衝突,

這豈容時光一瞥以去麼?

47

為幸福而歌

且希望一切是明瞭清白與超脫，

生命帶點歡愛之影子，

火自然給我們季候的警告，

大燄之光導我們遠去，

兩個形體溶合在一個曲線裏，

更何論什麼色彩．

吁無關懷過去的朦朧，

且緊抱我一點，

使我感到幸福之始末．

48

牆　角　裏

牆角裏,

兩個形體,

混合着:

手兒聯袂,

脚兒促膝,

喁喁地,

喁喁地,

分不出

談說

抑是微笑.

——你還記得否,

說僅愛我一點?

49

為幸福而歌

　　——時候不同了，

　　——我們是

　　人間不幸者，

　　——也可以說啊，

　　聲音更小了，

　　唧唧地

　　惟夜色能撼之.

前　後

在你未來以前，

天空站着殘照，

行雲鱗散，

山澗淚流，

牧童的歌兒

也僅給人興嘆，

蛙兒噪了一二次

更是傷情．

在你既來以後，

海潮能自調音韻，

夜梟佇看月兒西去，

晨光的溫暖，

51

爲幸福而歌

修養詩人多情之眼。

麥浪的農田裏,

日光眩人視線

遊鷗在遠處呼人。

52

晚　　　　上

晚　上

淡紅的燈，

在深黑的夜裏，

溫暖的你

在我冰冷的懷裏.

話兒寂寥了，

但唇兒愈接愈近，

僅稍停氣息，

便聽到兩處的心琴.

廣闊的裙裾，

抹殺了珠鞋的美麗，

欲低頭去撿時，

53

為幸福而歌

髮兒又倒下來了.

窗外秋風嘶着,
似恨人間多薄倖,
伸你油膩之手去
攫取一切已失以歸來.

54

草地的風上

昏睡的平野,

惟有風的氣息,

草莖隨興亂倒,

如海波欲掠舟子以去,——

一望無垠

似失了天涯歸路,——

如失戀之夫的呻吟,

對明月與嘆,

欲倩自然找尋賠償;

又如破屋瓦礫中,

隨死之貓的尖叫,

毫毛爲血腥膠着,

盡力作最後之悲鳴。

55

為幸福而歐

吁！

何來這戰慄人們之魔力，

56

給 Z. W. P.

給 Z. W. P.

"Cette âme qui se lamente
En Cette plainte dormante
C'est la nôtre n'est ce pas?
La mienne, dis, et la tienne,"

在未來的晨光裏，

我的青春哭泣着，

——吁，面色多麼蒼白，

如落伍之樂人!——

你在面龐裏嗤笑，

但我心頭沸騰了，

當我對斜陽興感

你能爲我的 partisan 麼?

手按着額兒，

恐懼這可怖之熱汗，

57

為幸福而歌

雖說情愛如膦曉般暝篤,
但誰挽住這微笑的電聲.

雖是我的心,
每次多帶衰老之跡,
如靈兒得了若干安頓何!
寧隨荒草之原遠去,
指點勝景給你,
舉目一望,
更可見崑崙積雪的反照.
我們若扶杖西去,
定能撫蒼松而慟哭,
細問自然與人之衝突;
若我們熱烈之心房,
因此行而冰冷,
更有誰能負咎?

58

問　答

——容我再吻一次
在你黑溜之眼裏,
因他們是哀哭之源.

——否,他們是
你的眷戀與仇怨之愛子,
你將因之汙損詩筆之毫.

為幸福而歌

Ballade

我心是陰處的鳥窠,你若如倦遊之鶯般
疲乏且斂翼前來休憩片刻;
此處你將聽到夏蟬之歌,草蟲跳躍之聲
息
我們願醜惡之世界,化在我們起居裏,然
後據其上座,盡取一切自然之供給為情
愛之培養.
或沿海岸遠去看孤嶼之荒涼,但恐你心
將痛哭着,
總之,我願如孩童般不倦怠地作一百句
呼喚直至得到安睡之藏所啊!
吁!日光斜照着,我心是陰處的死葉麼?

60

柏 林 Tiergaiten

"Et que c'est l'heure où meurt à l'occident le feu,

Où l'argent de la nuit à l'or du jour se mêle":

Emile Verhaeren.

無定的鱗波下，
杈枒的枝兒
攬鏡照着，
如怨老之歌人。

水禽散了隊伍，
怕打槳的煩囂
獨在幽草深處，
唧唧地商量好久。

爲幸福而歌

靛藍的天空，

爲偸閑之晚霞佔着：

餓狼之羣的長形，

旋變爲出征之軍旅。

眼簾漸覺朦朧，

怕不是炊煙散漫？

吁送點蕭瑟之聲來，

遊子失了歸路！

日　光

你,鮮豔之日光

照了她晨間的曉妝,

復環視伊午後的倦睡.

何不給我一點消息.

我心正張皇着,

怕入其朦朧之夢.

呵,這無根的煩悶,

是遠隔這婦人的煩悶.

為詩魂而歌

Paroles

我們幾曾認識，

海之來源！

止藥桿兒來往，

遂無意地安排了。

黄葉隨秋落地

原命運要如此做，

若能惹人一點傷心淚，

也許再上枝頭，

別地的高山遠樹，

豈不識世紀上的悲歡，

若念到草長春風，

Paroles

更如人痛哭崎嶇之命運.

生命之河流上,
缺點顧盼的時光.
況拉手疾走,
足音在遠處筑然.

65

献 而 楓 莘 篤

韋麻故園之雨後

孱弱的野鳥,

在枝上喘着叫,

欲喚靜寂醒來;

惟草莖

落點殘淚,

說不願意.

春流漲了幾分?

恨無舵夫指點去,

杈枒之枝張着手,

交給我們全部清新.

該寫雲的行麼?

66

韋應故園之雨後

他們像蝟務匆忙，
朝天之東角走去，
欲看他們何處相逢，
恨被短牆遮住。

67

為幸福而歌

慟哭之因

我心房的

惺忪之夜裏,

夜梟聞大地之氣息

而歌唱了.

遠遠地,

有溪流之嗚咽,

應和着;

新月探首山後,

同看此諧和之律.——

究有何等僥倖,

生長於這有花有愛的人間,

側耳聽承認的之音響,

68

慟 哭 之 周

看夜兒流乳色之淚
在殘荷裏.

情愛僅有片刻的價值,

愛我的孩子,

行近一點,

我們的殘年,

旣在靑春裏

下了待穫之種子.

你的言語,

多麼空泛與虛飾的飄蕩;

如牧童之笛,

在夜候恐嚇狼羣,

旋復自變音調.

曲徑之空地,

69

爲幸福而歌

爲遊鳥的翼與

通紅之野花蔽塞着，

情愛之神驅車過時，

將折其輻轊，

終在我們屋後勾留而長嘆．

如說生命開始美滿，

不如說其是諧和，

你一個微纓之因，

帶來我無數慟哭之果．

時光飛跑了，

不必關心，

僅記取你初次呼 tu 時，

旣帶來我無數慟哭之因．

70

如嬌嗔是溫柔

如嬌嗔是溫柔之嚮導,

我們儘可不管時光的過去,

他們仍躲在松梢私語,

吁,我太不明白 Divine 的結構:

黑夜之叢來稀弱之炬光,

　　何以脚上封滿土塵,

　　倦了遊麼?

　　就從此乘舟車,

　　覽山川之勝罷!

斜陽將生命鍍金

清流偏增靈兒的寒度

欲在下意識裏問上道的,來人

71

爲幸福而歌

何時可明白這潛力.

何以脚上封滿塵土,

倦了遊歷,

就從此乘舟車,

覽山川之勝罷!

72

在生命的搖籃裏

在生命之搖籃裏，

向左右蕩着，

朦朧欲睡，

局促欲逃，

吁何等離奇的故事。

且停止一切進行，

融洽所謂善和惡，

把聰明之頭顱，

向潛力去索解，

吁嗟, amoureuses flammes.

"休管什麼沒夾腸，

73

爲幸福而歌

只許你我情投，

做個遨遊侶伴，

若有太白詩才，

更可杯酒三千。"

74

戲與魏崙 (Verlaine) 談
(自 Sgesse 二輯)

魏崙說: Mais ce que jái, mon dieu, je vous le donne.

——吁我以先執了理智的警告,伯來
此生強之故里,迫後偷偷眼兒,迷
妄了,張手向人走去,吁,我以先執
了理智的警告.

魏崙說: Vous connaissez tout cela, tout cela.

——最喜歡肝膽相照,更願他聽我心
拍的全部,——呵僅為他的拍,——
縱為大道張皇為青春與嘆,最喜
歡肝膽相照.

75

爲幸福而歌

魏崙說: Toutes mes peurs toutes .mes ignorances.

——若能清理一下,也許尋出點潛力火燄與眞理,夜兒多麽蕭索,山麓魍魅待人,若能清理一下.

魏崙說: Voici mes mains qui n'ont pas travaillé, voici ma voix, bruit maussade et menteur.

——攫取多少 baisers 之温柔;摸索腰圍的輕瘦,吁,幾許細膩之工作.若我的歌唱無催眠之可能,則談說更成空泛;卽到海兒失却來源,我們情愛.終如長城久峙.吁徒攫取多少 baisers 之温柔.

魏崙說: Noyez mon ame aux flots de votre Vin fondez ma vie au Pain de

76

votre table.

  ——老舊的機能,新穎的情慾,縱不消

    愁亦漲頰充腸而去,吓,謝這老舊

    的機能。

77

為幸福而歌

盛　夏

陽光張火燄之眼，

監督着全空間之輾轉。

人與牲口和花草

盡在酷熱裏蠕動,蠕動,

他總是在高高處笑着.

他所愛的橡木,

沈睡在足音人語中間,

像飲了風光之滴而深睡,

鳥雀疊了羽膀息了,囀唱止而

靜候"日落葦山紫"之來.

——他們愛惜了三月的烟花,——

短林無力招微風

78

盛　　夏

蕭來嬉戲，

長松厭倦了紫黛之峯的遠眺，

草蟲不耐根底的蹲伏，

幸影兒給了他們多少安慰；

湖水惟有反照，

但非黎明之鮮艷的光景了，

蘆花欲進水底去找清涼，

奈沙鷗偏要與他們絮語。

79

爲幸福而歌

Idée

強硬的 Jeunesse,

爲平庸之幸福

而降服了:

睨視超絕之醜,

招手 Amante 之同情.

流放之眼球,

退却在時俗之邱上,

孟浪之心田,

蹭蹬在誘惑之下,

從此能得多少擺脫麼?

時向黑夜嗤笑片刻,

Idée

因幸福多建在 Mensonge 裏，

若眞理之軍

能特別攻打，

或可解去心頭之重負。

81

爲幸福而歌

海 浴

浪兒欲把

你纖弱之軀捲去，

幸輾轉在我臂裏．

若非水光瀲灩，

你定能顧這娉婷之影，

使我羞赧而遠去．

荇藻糾繞到你肌上，

小魚迴旋冰膚之後，

吁萬物同此愛美之心．

線以曲而益美

82

海　　浴

心以冷而愈熱

況你我頭兒攢着

如鬧聲靜寂片刻，

定能聽到海神之歌，

或同去作她們之兄妹。

欲寄語腳下的沙泥，

但他們隨踵散亂，

吁何以捨此 Magnificence！

給幸福而歌

遠地的歌

"Otriste triste était mon âme
A cause à cause d'une femme.
Je ne me suis pas consolé
Bien que mon cœur s'en soit allé"

P. V.

往日夢魂裏，

有心在浪頭跳蹬，

風隨靜寂休憩，

輕新之手，

許折花朵以投贈．

今日夢魂裏，

有低語在紗窗下，

84

遍 地 的 歌

落日略上簾鉤,
歸燕隨風唧唧:
情愛須愛眼淚的洗禮.

老弱之希望,
在岸頭哭泣,
戀直至消失的印象.
來往在辭別的淒清裏,
吁!何來永無休止之回聲.
呵! Jadis, 告訴我何處流落了,
那點舞秀裳而歌的人,
那點挽住黃昏之芳香?
如今所留住的,
催心兒能聽嘆息之餘哀.

縱未能歷許多

85

為幸福而歌

春冬秋夏，

但心頭所留季候之教訓，

比殘霙新花

還要真實．

吁！許折花朵之手，

何處是你

不可認識之動作？

88

Am Meer

Dans une barque d' Orient

S'en revenaient trois jeunes filles

Trois jeunes filles d' Orient

S'en revenaient en barque d' Or

Ch. V. Lerberghe

風雲變幻的天之下，

海兒明滅地美麗着，

用他的狂呼衝闖

與多慣飄流之浮沫，

吁,世界吸飲之觴,

有銀鱗之魚廣查百里,

長鯨曝背,

壓海浪而成迴瀾.

87

寫幸福面歌

你，上帝之愛子，

何以眷此絕港，

忘却與落霞微笑？

我，思慕蜃樓的人，

驀地開到你鹹腥之氣，

心頭塗滿着慾望之毒，

與颶風之狂暴；

夜色來了，

我將御輕衣，

徐步荇藻與蟲蚌之岸，

任微弱之霧

泌余鼻觀，

我終久朝向你，

守候這陰險之大計，

吁給我鳴咽之哀吟，

漫漫長夜中之變態，

<u>Am Meer</u>

除掉星燭之光，

我是你的信徒了。

有時我閉目沈思，

夢見多少長髮之墨客，

環佳各大洋之岸而泣，

像找尋什麼似的,像失掉什麼似的,

呵,這等不相識之可愛者,

終未得到你的回答,

浪遊的雲,

又偏把新月之微光掩住,

使他們失去微笑之動機。

我初出茅廬的人,

但明澈了所謂真理。

滿足了需求,

祇候白裙之女前來,

——她有如你水色之白的手,——

89

為幸福而歌

我們將約略申訴衷腸，

然後覷着羣鴉蔽空．

吁，依廬而望老田，

張手向我而長嘆了．

90

夜歸憑欄二首

"Un air fragile et triste un peu simple

et discret comme un aveu"

H. Spies.

一

捨燈市的輝煌，

歸冷淸淸之暗室，

按着方椅欲坐，

但無心屈這兩膝。

望望長天盡處，

橡林倦極睡了，

一種不可測之恐怖，

在心頭益形長大啦。

91

為幸福而歌

何須側身東望，

巳喪了無端的豪氣，

若與黑夜私語，

恐更增點宇宙之謎．

我看不見什沒，

忘却一切憎和愛，

震蕩在冰冷之搖籃裏，

一半哭泣一半入睡．

二

鍍金的草場，

為不忠實之月色管領去了，

若流泉黑夜而休歇，

蘆葦便失去酬唱之侶伴．

92

夜歸懸惱二首

我站立愁慘之景象裏

聽空間一切生動之痛哭,

因笑聲卒去不可再來,

情熱之淚永在生命之前路.

穿過濃厚之林裏,

讚美春來之花草站立着,

與夜行者微細之光,

似上帝給我們之 vraisemblable.

前來!反照之湖光,

何以如芬香般片時銷散;

我們之心得到點:

"Qu'ést ce que je fais en ce monde?"

93

為幸福而歌

預　言

何須否認與強詞，

去，我的孩子，

——幸福之找尋者，——

我的閑散，

是你的勝利了；

但老夫孱弱之手，

欲試拉這

Banale 之絃，

若我手兒流血，

你的頸項

亦恐帶傷痕了.

去，我的孩子，

——幸福之找尋者，——

94

預　　言

你有黃金色的背，

像斜陽在那裏

留戀而入夢，

但我何敢有所寄託於你，

只倡 Divin 之力，

無使心兒張皇，

身兒發抖

以老夫孱弱之手，

試拉這 Banale 之索子.

95

為幸福而獻

人說江之南北

人說江之南北血戰着！

他們原想試明生死，

或欲在生命裏富貴．

多少 Mal au cœur 的人，

想超越這短促之行程，

何曾擺脫最後的一籌．

笑完了麼？飲食足矣！

俄羅斯人僵臥着，

任陽光雨雪去憑弔．

此是黃昏的事實，

96

人說江之南北

到夜裏高枕回思,
"何須否認與強詞".

人和天使煩悶了,
在此生存競爭裏
何處去找一公道.

應聯合耶氏之門徒,
再犧牲流血之情愛.
"Pour moi, C'est égal."

97

為幸福而歌

衝 突

我側耳聽一切音響，

張目視一切色相，

但愛的消長

非耳目所能及了。

若於你看來，

世紀的繁華，

風前的火燄，

惟舞蹈裏可索解。

天藍色的眼瞳裏，

像晨光驅車來了，

若欲導我遠遊，

88

衝　　　突

閉目定是罪過.

我即是你?
你何曾是我?
同摸索這方圓
各浸潤在命之滔流.

我慚愧去繼續此生了,
你給我多少愛怨的輕輆,
(還須別的證實麼),
吁,與他們相見是無勇氣了.

99

為幸福而歌

吁我把她殺了

吁,我把她殺了,

用無捉鷄之力的手

把她殺了.

Madamé!

你還有什麼話說麼?

縱其是一枝小花,

可愛的婦人,

抑顛連無告的不幸者,

但我既把她殺了!

曦光星散,

夜色紛來,

都不關生命的賑,

100

吁我把她殺了

惟總望看看.

吁我忽想念這個人,

在傷感的一秒間,

但 je l'ai tué sans penser.

101

為幸福而歌

Hasard

我吻鮮花之尊,
是于無知的脣
遂產生罪惡;
我怕更患傷寒,
遂裹胸襟遠遁
但逃向何處?

汨汨的清流漾着,
我憑眺了一會,
仍是首途,
越人間的曲徑
賞大自然的嬉笑,
導我前路的,
是老舊的 Hasard.

102

海　潮

海潮從遠地回來了，

他們有疾徐的唱，

閑懶的動作，

惜帶來舟子之幽怨

爲遠山之紫黛收去了。

他忘了一切年少之盛況：

——野鷗在浪頭追隨，

燈塔向人回顧，

暴風雨之夜裏，

遭難者裂喉而哭；

曙光下之霧氣，

矇蔽着沿岸野人之視線，

108

爲幸福而歌

又或在清新月侈裏，

落魄的詩人，

划着古船徐渡，

俄而猿聲四起，

他遂抱頭痛哭

膽兒也破了！

又或成羣之海寇，

越好望角而西，

圖他們殺掠之大計。

吁，上下古今

總是這一齣，

你最能一瞥而見，

但還我既往之春來：

平淡的沙坂裏，

彩色的蟪蚌，

104

海潮

掩映我面兒使紅,
你好嬉戲着繞住我脚兒.

"似曾相識"似的,
從無去意!
但我當時渴望着,
所愛的小羊歸來,
是以一聽到他叫在山後
我逐狂跑了,
幷忘却給你什麼辭別的話,
如今重來,我們幾不相識了,
你雖老了一點,
但閒懶的動作與疾徐的唱
我們是慣聽的.
再見!我將在遠遠處望望你,
攜手是不必了.

105

為幸福而歌

涼 夜 如……

涼夜如溫和之乳媼，

徐吻吾蒼白之頰，

遊風無語獨上梢頭去，

蟋蟀欲挽流螢同住。

夜與日闊別之片刻裏，

有神奇的永遠之顫響，

惜我心頭滿貯悲哀，

忽略了這等聲浪。

雖然，她忠告我什麼：

我曉得麼，你曉得麼？

用我們純潔的笑！

Adieu! 池塘，秋柳微弱的鐘。

106

有　感

如殘葉濺
　血在我們
　　脚上,

生命便是
　死神唇邊
　　的笑.

半死的月下,
　載飲載歌,
　　裂喉的音
隨北風飄散.
　　　吁!

107

— 127 —

爲華鬮而歌

撫慰你所愛的去.

開你戶牖
使其羞怯,
征塵蒙其
可愛之眼了.
此是生命
之羞怯
與憤怒麼?
如殘葉濺
血任我們
脚上。

生命便是
死神脣邊
的笑.

108

心爲宿怨一首

心爲宿怨跳躍着：

誰愛這垂楊，

夜如死神般美麗！

我愛短歌的疊句，

只怕夢了重來入夢，

卽泣哭亦無諧音可言。

湖光的反照

彷彿有先賢失望之笑，

何日光終給余哀思？

明天是可愛的盛年，

109

為幸福而歌

何曾向人倨傲此一生。

吁！綈袍重縫。

究沒多少罪過，

但抱歉是遲延了，

去罷！笑聲呼喚與低吟之音。

110

耳　　　　兒

耳　兒……

耳兒仍淸澈，

眼兒仍流麗，

惟心兒全無勇氣

欲與傍晚之歌聲同委靡。

手兒攀折枝條，

欲痛飲花心之露，

追狂蜂略疊羽膀

我覺這是自然的一椿罪過。

盛年的初春，

我的靈起居在老舊的故宮裏，

但隨着季候流淚，

111

爲幸福而歌

如傷兵濺血在平野。

總之樵漁之父，
——工愁的"自然之笛子"，
在迷妄的人道之歧路裏，
無力躡先賢之足印了!

112

一瞥間的靈感

廣大的鬧聲,

隨夜的軍旅遁去,

長林再不願聽!

音樂是不美麗的了,

嘲嘲切切

如步兵之革履般整齊.

一線的紅光,

欲挽世界的崩頹長住,

奈寒氣的光輝

發出搖空之哀吟,

戰慄那遠海與死都.

113

爲幸福而歌

瀑泉中斷了，

空看山谷入夢，

你，撫慰低林的歌者，

Soyer aimé! 如同寡婦之愛子。

你靠近我的孤憤，

如舟子隨海岸揚帆而去。

你開我沈思天國之門，

震盪我心愛之蘆葦，

秋燕向你洗濯身軀

以禮其遠道，

奈成羣的羽影下，

帶滿我生前之哭聲。

你年靑的自然之使者，

給了詩人多少眼淚，

114

一瞬間的靈感

更何須哀苦!

我欲償還你心愛低吟,

Mais combien?

我們去!

認識那可靠之山靈。

115

為幸福而歌

我一天遇見生命

我一天遇見生命
奏盧笛在懸崖之窟,
我因太憤怒,
忙了問其緣登之路.

"我同你一齊去",
尋什麼安慰給我?
乾燥的荒郊上,
有餓莩顛沛之跡.

孩子們湧來了,
因他們從沒見過,
伸手,張羅,追蹤恐慌,

我一天遇見生命

我說：自己去創造新的罷。

all things —— all things,

我可以在黃昏之微光裏明察，

但每次到夜影四合，

我便不忍久坐而憑眺。

117

為幸福而歌

彼 之 Unité

當他倦遊歸來

留下點：

> 忘情的勾當
>
> 在懊悔裏，
>
> 任何地點，
>
> 任何歡樂的 Moment,
>
> 他總找美醜的
>
> 裁刊，
>
> 生命的價格與歸宿.

當他倦遊歸來

留下點……………………

隨後他泛船走了，

118

彼 之 Unité

全爲 Unité!

從山之源頭始，

蘆葦之岸壯其行色，

獨自一人呵，

但何等偉大的一遭！

119

獻而謳幸為

夜之來

黃昏正預備

死後之遺囑,

殘風發出

臨終之 sanglot,

無力再看其

蒼白之臉.

海是青青的,

麥浪欲赤還棕,

歸燕的平和之羽膀,

像是生命的寓言.

一圍林鳥的噪聲,

便使長林入睡,

音樂是不美麗的了.

120

小　詩

我欲如黃鸝般歌唱，

但恨帶了人類的啞喉，

就在墜落之年

亦不能爲乞食之工具。

我初流徙到一荒島裏，

見了一根草兒便吃，

幸未食自己兒子之肉。

隱憂是慟哭之原，

但慟哭時把隱憂掉了，

我的夢想,睡罷!

你眼非天使之眼，

為幸福而歌

足非武士之足，
何以明察星斗運行，
抑與虎狼驅逐？

此行，此句
原欲寫你靈魂之崩敗
但濡筆時
我先自心酸了．

休管情愛是生死的鐵鍊，
抑斧鉞的剪伐，
你我兩心愛了
便互為永世囚徒．

Baiser 是遠行的重負，
惟心靈能流其熱汗，

小　　　詩

不待肥沃土地之種植,

在 éternité 裏開片刻的花枝來.

我聰慧之眼與心,

引誘一切眞理前來,

惟有情愛之美麗,

囚住我靑春之自決,

我手將不再承受別的寄托,

因這全是我的財富.

如憂感不使我衰黃,

歡樂便勾留在我心深處.

我其愛千回的軟笑,

抵此血淚長流?

吁我太辛酸了,

在此斗室之圍裏,

願把一切幽怨

123

爲幸福而歌

附給四月的春草墊上，

和風引野鹿來時，

直把他們吞去，

我以是爲落魄之人。

124

à Gerty

(Avant de venir)

呵,你為我命運之仇讐,
其緊抱我片刻,
如青籐之擁喬松;
我飲盡波端之沫,
僅洗去余幽怨之一部,
而後起者又在心獄之門呼喊了.

驕傲之小騎兵,
你識蜂的歌唱與蝶的飛翔麽?
他開始就喚你的名兒,
振翅便學你蹣跚之舞,
至其餘的游戲

125

爲幸福而歌

於你是太殘忍了.

我呻吟着隨此孤舟遠去,
我攀緣着登裸體之崖,
人說"滄海桑田"時,
泅泳的人點滴血腥在河裏
願我們聯爲一體
不負樸質的初心.

你的幸福在我心頭憑弔,
我們的青春各尋歸路:
伊在前頭的呼喚之音,
變遷其故國悽慘之哀求,
願鎧余黃銅之甲,
遮住這一切詭詐之偶然.

126

á   Gerty

以羨慕情愛之眼，

眈看江水之勾留：

浪兒與浪兒欲擁着遠去，

但衝着岸兒便消散了；

一片浮沫的隱現

便千古傷心之記號.

欲求此生的永遠，

惟有我們的名字銷失在人間，

然後舞蹈在淺草的中央，

離去一切記憶之束縛；

月兒半升時，

我們便流淚創造未來.

127

為爭福而歌

冬

"Par un temps grisâtre d'automne,

lorrque la bise souffle sur les champs,

que les bois perdent leurs dernières feuilles,

une troupe de canards seeuvages,

tous rangés à la files,

traversent en silence un ciel mélancolique".

Chateaubriand,

我所期候之冬季來了，

地面承受這死葉之黃，

至他們的悲哀

全像我們之幽怨

埋伏在心窩之底.

當日光在東方嘻笑，

128

冬

勇敢地瞎此孤冷之世界，

如千人騎之威武，

杈枒的細枝

無力訴新發生的悲哀了。

寄語籬邊的清水，

長睡到春笑回來，

因尨犬的夜吠

驚動一切燈下的勞人，

冷氣更鎖住心的怦拍。

欲哭的新月，

披衣向菓園回竊：

石子戰悚在牆根，

薄霧進了灰死之重圍，

準備夜來之盤宴。

129

爲幸福而歌

叮,冷冬,你來自天邊,來自地心?

寄宿在我們心頭,

用往昔殭死人類之威武,

重戰慄零落的詩句:

時而喪氣痛哭,時而向空長嘆.

我們的歡樂,

隨秋聲銷散了,

如流徙囚徒之遠去!

每值夜雨孤燈

便夢想舊遊,嬉笑與滂沱的淚.

何以你有沈靜的心靈,

嫻懶的工作:

微風趕着池水冰凍,

130

冬

雪花重演老舊之舞，
細雨抹煞芭蕉的煩悶。

正在這時期之開始，
我心頭有搖動的火光，
如臨流燈塔之明慧，
暖我無血而勁健之四肢。

··

131

歌面輻幸爲

Fontenay-aux-Roses

(巴黎城南)

此是人間忘卻的鄉土,

海潮呼嘯不到的一角,

任人做謙恭的夢

聽笨重之車的鞭聲!

你沒有挽斜陽之短樹,

和小鳥聚集的場所,

——我豈不遇見一次?——

惟風兒打窗催睡.

雨雪也試來往階下,

似曾相識惜去年的

132

Fontenay-aux-Roses

此情此景沒我賞鑑,
便挨到今年的這樣了.

無論其尋求,偶合抑勾留,
我豈爲點綴你的風光而來,
一根枯葉的擺動
旣顛倒我內心的諧音.

你微弱的山後之光,
豈能使我再成灰赤?
每次檯首遠望低首沈思,
遂聽到青春屠殺之叫喊!

我頓足遇枯涸之池沼,
認識沈淪的砂石之相
如倦遊之海鷗歸來,

133

為幸福而歌

螢羽數波光閃耀之華。

如要愛此枯樹紅牆,
必先同情沈寂之夜:
幾根頹死之靑光,
叩我生命之偉大的疑惑之門。

呵 Gerty, 其以假髮飾你頭兒,
如天國白衣之羣仙,
且敲桑兒作歌,
定能領生計之神祕。

無哀儳倖之來,
無戀突兀之去,
幾次私語的微顫,
是我們永遠之忠告。

184

Fontenay-aux-Roses

看,霧兒四合了,
但我們心靈終永明澈,
縱生離死別,
無帶此風光入腦海裹.

135

爲幸福而歌

多少疾苦的呻吟……

多少疾苦的呻吟，

幾許狂亂的笑，

同發生在喉裏，

於我全爲悅耳之音。

一羣叛亂的牲口裏，

鞭兒肆下，

到血兒流落時

乳酪也成了。

希望得一魔師，

切大理石如綿絮，

偶得空閑時

多少疾苦的呻吟

便造自己絢膩之墳座.

O Seigneur!

我為生命之火焚燒了:

雪白之臂繞着腰,

吁,"彼胡為乎遲歸".

你們儘馳向田野,

但無學探摘花草,

給你一點情愛之因

生命逐如散兵般錯雜了.

我可愛之盛年悉銷散了,

最初的誼友亦疎冷了,

失去了可恃之 force

留下這腫痛之身軀.

137

為幸福而歌

如少你的擁抱，

我四肢更隨風冰冷，

心兒因貧血而跳

睫兒因疲乏而下垂.

何等可怕的一遭，

少女！你最曉得的，

我們佇看命運之張牙，

吁，開始太遲收束太早！

Adieu！廡飾的頭顱，

—— 何以滿了普天之下——

奇形的面孔，

我看見你欺詐的微笑了.

128

多少疾苦的呻吟

燃我們的火炬,

鑿我們的革履,

任在一個海嘯之崖端痛哭,

我們可領略 Univers 之偉大.

不怕突厥的強暴,

更愛日耳曼之子孫;

努力愛護自己之委靡,

遠去黃金的誘惑.

周圍一切的香,色,花冠,

是老舊之生命的調子,

欲明白來日的大難,

須逃脫偶然的糾纏.

使我傷心的

139

為幸福而歌

再不是深夜鐘鼓之音，

野獸的叫喊

是詩人之凝視。

玫瑰是童貞女的榮幸，

惡魔嗤笑的種子，

每在炎夏的蔭處，

送點溫愛之香給我們。

當她花片半開時，

是帶來給人類之忠告，

無待刺兒傷了手，

成就你夢想之頹敗。

青天遠海引起我的思慕，

他們的反照如你眼瞳的瑩瑩，

140

多少疾苦的呻吟

明澈的一陣微笑，
引得我青春在清晨張皇．

我愛！我全生活在你低唱裏：
人所羨慕的，人所忘卻的，
如沈寂中之狂夫一叫，
其安慰我勝於甜蜜的言語．

尤願埋頭在你掌心裏，
得到我血管一時的沸騰，
若再不明白你所有之忠告，
則你語言的音樂裏定斷了一絃．

我從荊棘的小道裏，
找到你如赤日當空之情愛，
我的衷腸焚燒着

141

為幸福而歌

願痛飲你眼淚之餘滴。

我佇望天空晴和與明麗，
但每受細雨之揶揄，
欲聽你琴兒的調音
但每輕步在裙裾邊走過。

人說愛情是虛空的狂叫，
兩性裏決鬥之鎗聲，
我全沒意見於此
因你給我 baisers craintifs 及 baisers fous。

我從荊棘的小道裏，
找到你如海潮四瀉之情愛，
呵 innocent 抑 esclave，
老舊之字句將窒死我？

142

多少疾苦的呻吟

你唱,你笑,你與我接着脣,
似眉端還挾點遺恨?
每向你心河之兩岸徘徊,
但見月光在浪頭嬉笑.

何不認識你在當年!
呵承繼的女孩,
乘機緊抱我們青春之臂,
遠處的旋風將迷我歸路,

遠處的旋風能乾枯我的脣,
將催我心兒頻跳,
上帝將教我奔走人間之沙漠,
但無與你辭別的勇氣.

143

爲幸福而歌

在你飾錦帶的頭髮裏，

有往昔深夜之暗色，

他給我之淒淸枯死與蕭條之香，

全交付你的天眞去美化．

窗屝開了旋關，

因晨光太擾人倦睡之眼，

當我倉卒披衣時

你眉頭還帶點徘徊之思．

呵孩子！何以有此痛哭，

你覺在懷抱裏孤寂麽？

開張你靈魂（不僅是眼兒，）

我們正在上帝手裏活着．

肉體全是空泛，

144

多少疾苦的呻吟

況趁時衰落的顏色,

應在世界的遠遠處,

找人所忘卻的樂土.

地上的勾留全形短促,

小小的時間,

掃除了生活的憎愛,

苦痛,羨慕,追求與墜落!

是!肉體全誘惑我們,

導進華麗與情癡去,

終於馴伏了,

還信能達到無限.

且緊拉這等幸福,

留心待解的重負,

145

爲幸福而歌

呵孩子!何以有這些痛哭,

你覺在懷抱裏孤寂麽？

146